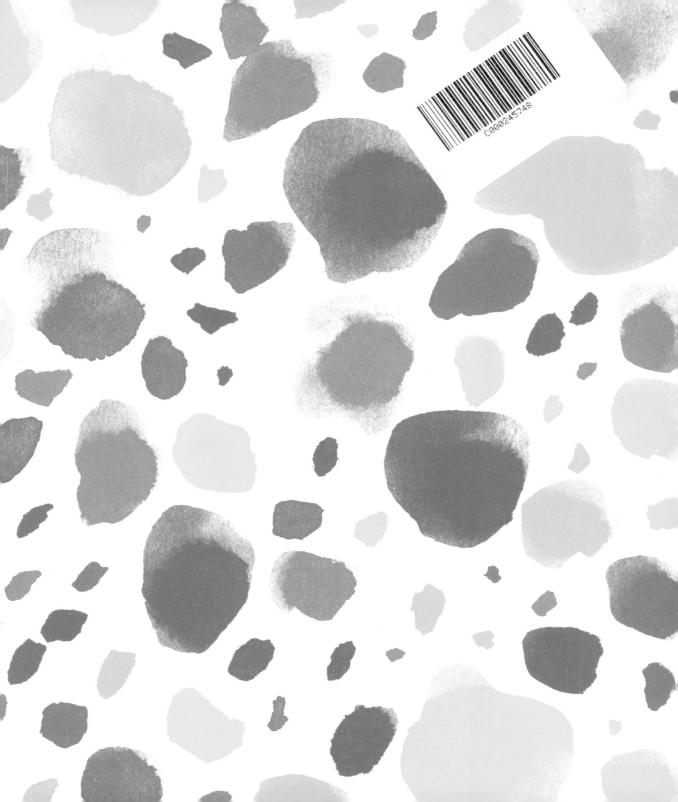

Pour Huguette
Claude Helft

Pour Tobias
Aki

Le papier de cet ouvrage est composé de fibres naturelles, renouvelables,
recyclables et fabriquées à partir de bois provenant de forêts gérées durablement.

La Verginella chantée dans *Trois petits chats font de la musique* est un air composé par
William Byrd (1543-1623) sur un poème de L'Arioste, pour *Orlando furioso* (1516).

Gallimard Jeunesse Giboulées sous la direction de Colline Faure-Poirée et Hélène Quinquin.
© Gallimard Jeunesse, 2017. Édition : Diane Costa de Beauregard. Graphisme : Syndo Tidori.
ISBN : 978-2-07-507563-3. Dépôt légal : mars 2017. Numéro d'édition : 307192.
Loi n° 49956 du 16 juillet 1949 sur les publications destinées à la jeunesse.
Imprimé en Italie par Canale.

Claude Helft & Aki

TROIS PETITS CHATS

font les fous

Gallimard Jeunesse Giboulées

TROIS PETITS CHATS
font des photos

Trois petits chats ont reçu en cadeau un appareil photo.
- On va tout, tout, tout photographier, dit Un.
- Clic, clac, c'est dans la boîte, dit Deux.

- Ne bougeons plus, dit Trois.
- Souriez, dit Deux.
- À toi… À moi… À nous !
disent trois petits chats.

- Oh là là, c'est flou ! dit Un.
- On est de travers ! dit Deux.
- On ferme les yeux ! dit Trois.

La poule et les poussins sont en balade.
- C'est un studio de photo, ici ? demande
la poule. Justement, il me faut
une photo de chacun de mes enfants.

- Ils se ressemblent, dit l'Ami-Chien.
- C'est pour leur passeport, dit la poule.
- Prenez place, dit Trois.

- Celui-là, c'est Poussinet ou Poussinou ? dit Deux.
- C'est plutôt Piou-Piou, dit Trois, ou Pia-Pia.
- Tu les reconnaîtras, Poulette ? dit l'Ami-Chien.
- Je suis leur maman, dit la poule.

La souris veut son portrait avec ses souriceaux.
- Désolé, Madame Souris, on ne va pas les voir
sur la photo, ils sont trop petits, dit Trois.
- Il y a une solution, dit l'Ami-Chien, montez
sur mon dos.

- Accrochez-vous, les enfants,
le petit oiseau va sortir, dit Un.
- Dites « ouistiti », dit Deux.
- Hi, hi, hi, hi, disent les souris.

Le cochon est très content de sa photo.
- Je vous la dédicace : « Aux trois petits chats,
amicalement », et je signe de mon petit nom
« Tire-Bouchon ».
- On va faire une exposition, dit Trois.

TROIS PETITS CHATS
sont contents

L'Ami-Chien est perspicace.
- Je vois que vous êtes contents, dit-il.
- À quoi tu vois ça ? dit Un.
- Tu remues la queue,
dit l'Ami-Chien.

- Toi, tu fais quoi ? dit Deux.
- Je la remue aussi, dit l'Ami-Chien.
- Plus que nous, je vois, dit Trois.

L'écureuil n'est pas d'accord.
- les chats ne remuent pas
la queue, ils ronronnent.
- On peut faire deux choses
à la fois, dit Trois.

- Moi, je glousse, dit la poule.
- Moi, je me trémousse, dit le canard.
- Moi, je me pavane, dit le paon.

- Et toi, tu es content ? dit Deux.
- Ça ne se voit pas ? dit le lapin.
- Pas vraiment, dit l'Ami-Chien.

- Disons que tu es content
intérieurement, dit Un.
- Dans ta tête, dit Deux.
- Dans ton cœur, dit Trois.

- Même chose pour nous, alors ? demandent les hérissons.
- Pour nous aussi, les fourmis ?
- Et pour moi ? dit la girafe.

- Chez les petits chats, ça se voit ! dit Un.
- Ils rient ! dit Deux.
- Ils chantent ! Ils dansent ! dit Trois.

- On va vous montrer, disent trois petits chats.
- Alors, comme ça, les chats remuent la queue, ils ronronnent et ils dansent quand ils sont contents ? dit l'écureuil.
- Tu apprends vite, dit l'Ami-Chien.

TROIS PETITS CHATS
font les fous

Trois petits chats font les fous
sous la couverture.
- C'est un royaume, dit Trois.
- Avec des montagnes, dit Deux.
- Et des bêtes, dit Un.

- Quelles bêtes? dit Trois, inquiet.
- Des singes, des ours, dit Deux.
- Des dragons, dit Un.

Un et Deux sont déchaînés sous la couverture.
- Tu ne nous échapperas pas, mauviette, dit Un.
- AAAARRGH! RAAAH! WHOUH! WHOUAH! crient les bêtes.

Trois se couvre la tête.
 - Je m'en vais, dit Trois,
je ne veux pas voir ça.

Un et Deux sortent de sous la couverture.
- Ah, ah, ah, il est mort de peur, dit Un.
- Mais, mais, mais... AHGLAGLA, un fantôme! dit Deux.

Le fantôme se dresse.
- Rampez sous la carpette, Un et Deux !

- C'est le fantôme de notre petit frère, dit Deux.
- Pardon, pardon, cher petit Trois, dit Un.

Trois enlève la couverture.
- Ne recommencez pas, dit Trois.
- On jouait, dit Un.
- Oui, mais quand même, dit Trois.

TROIS PETITS CHATS
chez le coiffeur

Trois petits chats sont chez le coiffeur.
- Je peux avoir un peu de gel ? dit Un.
- Vous êtes sûr, Monsieur Un ? dit le coiffeur.

- Je peux avoir des frisettes ? dit Deux.
- Vraiment, Mademoiselle Deux ? dit le coiffeur.

- Je peux avoir une coiffure d'Indien ? dit Trois.
- À mon avis, vous êtes très bien sans ça, Monsieur Trois, dit le coiffeur.

- Ça ne m'irait pas, de la brillantine ? dit Un.
- Et moi, des bouclettes ? dit Deux.
- Et moi, une crête ? dit Trois.

- Vous êtes très mignons comme ça, avec vos poils de chat, dit le coiffeur...

... Est-ce que Madame votre Grand-Mère sait que vous êtes là ?

- On veut lui faire une surprise, dit Un.
- Elle dit que nous sommes des têtes
en l'air, dit Deux.
- Alors, on voudrait avoir d'autres
têtes, dit Trois.

- Je ne crois pas pouvoir
arranger ça, dit le coiffeur.
Et puis, je dois vous dire, je ne
suis pas un coiffeur pour chats.
Je vous offre un petit tour de
manège sur mon siège ?

- Merci, Monsieur, dit Un. C'était très amusant.
- Au revoir, Mademoiselle, au revoir Messieurs, dit le coiffeur. Ah, n'oubliez pas vos bonnets !

Trois petits chats se regardent dans la glace.

- Je crois que tu as mis mon bonnet, Deux, dit Un.
- Et toi, tu as celui de Trois, dit Deux.
- On dirait comme ça qu'on a changé de tête, dit Trois.

TROIS PETITS CHATS
font leurs bagages

- Grand-Mère a dit : « Rien qu'un », dit Un.
- Rien qu'un quoi ? dit Deux.
- Rien qu'un jouet chacun, dit Trois.

- Je prends le ballon, dit Un. Toi, tu prends les raquettes.
- Ben non, dit Trois, moi, j'emporte mon garage.
- Alors, on jouera sans toi, dit Deux.

– Vous êtes des peaux de toutou ! dit Trois
– Quoi, quoi, quoi ? dit Deux.
– Tu nous insultes ? dit Un.

– Vermisseaux, oripeaux, tas de crotte ! dit Trois.
– Tu dis des gros mots, dit Un.
– Caca de pipi, pipi de caca ! dit Trois.

– Stop ! dit la valise, calme-toi, je vais grossir un peu.
– Mais il n'en faut « rien qu'un » a dit Grand-Mère, dit Trois.
– Avec les raquettes, ça fait déjà deux, dit la valise.

– Je suis en supplément, dit le
volant. J'ai aussi des remplaçants.
– Entrez, entrez, vous faites partie du jeu,
dit la valise. Serrez-vous les plumes !

– Je prends un ballon de foot, un ballon de volley, un ballon de plage,
dit Un. C'est chaque fois un ballon ; en tout, ça fait rien qu'un.
– C'est peut-être trop quand même, dit Deux. Donne-moi le ballon de plage.

- Si tu le prends, qu'est-ce que tu laisses ? dit Trois.
- Ma boîte de magie, ma boîte de peinture,
ma boîte de clown, dit Deux.

- Alors d'accord, j'en prends un aussi, dit
Trois. Je laisse le garage, j'en construirai
un en coquillages.

TROIS PETITS CHATS
regardent l'horizon

Deux petits chats sont devant la mer.
- Je scrute l'horizon, dit Deux.
- Tu regardes quoi ? dit Trois.

- Qu'est-ce que je vois ? Un bateau trois-mâts ! dit Deux.
- Où ça, où ça ? dit Trois.

- Bonjour, dit le pirate. Où croyez-vous que je puisse cacher mon butin ?
- Qu'avez-vous à cacher, Capitaine ?
- Des noisettes, des sucettes, un boa, du chocolat.

- Ce n'est pas très prudent
de rester là, dit Trois.
- Je peux vous prêter un
sac à dos, dit Deux.
- Sur cette île, il me faut
une cachette, dit le pirate.

- Nous ne sommes pas sur une île, dit Trois.
- Quoi ? dit le pirate. Qu'on pende la vigie
qui s'est trompée d'abordage ! Qu'on mette
aux fers les moussaillons !

- Pitié pour eux ! dit Deux. Voici l'entrée de la caverne.
- Merci, Mademoiselle, vous pouvez garder le boa.
- Aaaah ! dit Trois.

- Ne t'en fais pas, dit le boa,
je ne mange pas les chats.
- Vous en êtes sûr ? dit Trois.
- Je ne suis pas un vrai boa,
je préfère le chocolat.

- Mais c'est le gâteau du goûter !
Celui que Grand-Mère nous a donné, dit Trois.
- Ah, non, garçon, dit le boa. Bas les pattes,
c'est le trésor du pirate !

- Me revoilà, marins d'eau de vaisselle !
C'est un tunnel, votre caverne, dit Un.
- Vous avez perdu votre chapeau,
Capitaine, dit Deux.
- Même pas peur, dit Trois, j'ai bien
vu tes moustaches en chocolat.

TROIS PETITS CHATS
font une chanson

- Cette histoire est une chanson, dit Un.
- Vous pouvez la chanter sur l'air que vous voulez, dit Deux.
- Nous, on a fait les paroles, dit Trois.

Miaou...

Mi mi mi mi

a a a a a

ou
ou
ou
ou

- On vous la chante dans
notre langue maternelle.
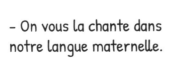

- Je vous traduis, dit l'Ami-Chien!

OUAH OUAH OUAAAAH!

Meuh meuh meuh
Cot cot codett

Hiiii
Hiiii

Rrron Rrrron

- Tous ensemble! disent trois petits chats.

- C'est un succès planétaire !

Au Japon

En Chine

En Corée

En Italie

miao

MIAOW

En Australie

meow

En Macédoine

miau

En Allemagne

maullido

En Espagne

En Tunisie

νιαούριςμα

En Grèce

miyav

En Turquie

МЯу

En Russie

Meow

Au Kenya

TROIS PETITS CHATS
envoient une lettre

L'Ami-Chien fait une drôle de tête.
- Ça ne va pas bien, dit l'Ami-Chien.
- Qu'est-ce qui ne va pas ? dit Un.

- Tu as mal ? dit Un.
- C'est un chagrin ? dit Deux.
- D'amour ? dit Trois.

L'Ami-Chien ne répond pas. Et puis enfin, tout bas :
- Elle est partie.
- Qui ça ? Ton amoureuse ? disent trois petits chats.

- Elle reviendra, dit Un.
- Ou toi, tu iras, dit Deux.
- C'est joli, là où elle est ? dit Trois.

- Ce n'est pas si simple, dit l'Ami-Chien. Elle en aime peut-être un autre, là-bas.
- Quoi ? dit Un.
- Il y a un seul Ami-Chien au monde, dit Deux.
- Et c'est toi, dit Trois.

- Elle m'enchante, dit l'Ami-Chien.
Il soupire.
- Tu vas lui écrire, dit Deux.
- Elle va nous entendre ! dit Trois.

- Non, non, ça ne sert à rien,
dit l'Ami-Chien.
- Attends, dit Un. Aboie... Là,
dans l'enveloppe !
- Pas trop fort, dit Trois.

TROIS PETITS CHATS
font de la musique

Trois petits chats font du piano.
- On va jouer à quatre mains, dit Un.
- Toi et moi, dit Deux.
- Et moi alors ? dit Trois.

- Désolé, on ne peut pas jouer
à six mains, dit Un.
- Tu peux tourner les pages, dit Deux.
- Je ne peux pas lire à l'envers, dit Trois.

– Tu n'as qu'à faire semblant, dit Un.
– Et attendre d'être grand, dit Deux.
– Ce que vous êtes méchants ! dit Trois.

La ver-gin-el-la è si-mi-le al-la ro-sa

– Trois, Deux, Un, descendez
de là, je vous prie, dit
le piano. Écoutez bien.
Le piano chante.

Trois petits chats ouvrent
grand leurs oreilles.
- C'est de l'italien, dit Un.
- C'est très ancien, dit Deux.
- Chut ! dit Trois.

Trois petits chats applaudissent.
- Bravo, bravo, Maestro !
- Bis, bis, encore, encore...

- Merci, merci, dit le piano. Vous voyez, avec moi, on ne se dispute pas. Sinon, je claque mon couvercle, je me ferme à clé. Bien compris ?

Trois petits chats ont dit oui, oui, oui.
- Tu peux chanter encore ? dit Deux.
- Avec toi, on est au paradis, dit Trois.

TROIS PETITS CHATS
ont une famille

- Est-ce que tu as un
petit frère ? dit Trois.
- Non, dit la rose, chez moi,
on n'a que des sœurs.

- Tu n'aurais pas un petit
frère ? dit Trois.
- Impossible, dit l'arbre,
je suis né tout seul d'une
graine poussée par le vent.

- Un petit frère, ça te plairait ? dit Trois.
- Trop dure pour lui, ma vie, dit l'Ami-Chien,
je suis un chien des rues et des bois.

- Tu n'aurais pas envie
d'un petit frère ? dit Trois.
- C'est que je n'ai pas connu
mes parents, dit le poisson.

- Où sont tes petits frères ? dit Trois.
- Je n'en ai pas de petits,
dit l'oiseau, mes frères
et moi, on est jumeaux.

- Ça t'intéresserait, un petit frère ? dit Trois.
- Sûrement pas, dit l'écureuil, c'est trop casse-pieds, les petits frères.

- Tu aimerais avoir un petit frère ? dit Trois.
- C'est mon rêve, dit le nuage, mais comment faire ?

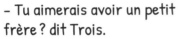

- Est-ce que tu voudrais un petit frère ? dit Trois.
- J'en ai déjà un, dit Un.
- Moi aussi, dit Deux.

- Vous avez de la chance d'avoir un petit frère.
Moi, je n'en ai pas, dit Trois.

- Tu as un grand frère, dit Un.
- Et une grande sœur, dit Deux.
- Et des copains, dit l'Ami-Chien.